Gute-Nacht-Gedanken großer Denker

Gute-Nacht-Gedanken großer Denker

Herausgegeben von Josef Dirnbeck

Pattloch Verlag

Die Deutsche Bibliothek - CIP-Einheitsaufnahme

Gute-Nacht-Gedanken grosser Denker/

hrsg. von Josef Dirnbeck. - Augsburg: Pattloch, 1996

ISBN 3-629-00723-6

Die Überschriften sind redaktioneller Natur
und wurden vom Herausgeber formuliert
und den Texten vorangestellt.

Pattloch Verlag, Augsburg

© Weltbild Verlag GmbH, 1996

Gestaltung: Petra Pawletko, Augsburg

Gesamtherstellung: Freiburger Graphische Betriebe

Printed in Germany

ISBN 3-629-00723-6

Inhalt

Wenn du zur Wahrheit gelangen willst

◆

Wenn du zur Wahrheit gelangen willst
Wenn du zur Wahrheit gelangen willst,
dann gehe nicht aus dir heraus,
sondern kehre in dir selber ein,
denn im inneren Menschen
wohnt die Wahrheit.

Aurelius Augustinus (354–430)

◆

Wann soll man Philosophie betreiben?

In der Jugend soll man nicht zögern,
Philosophie zu betreiben,
und im Alter nicht darin müde werden.
Denn für keinen ist es zu früh oder zu spät,
für die Gesundheit der Seele zu sorgen.
Wer da sagt, die Zeit zum Philosophieren
sei noch nicht gekommen
oder schon vorübergegangen,
gleicht einem Menschen, der behauptet,
die Zeit für die Glückseligkeit
sei noch nicht da oder schon vorüber.

Epikur (341-270 v.Chr.)

◆

Manche verändern ihre Philosophie

Manche verändern ihre Philosophie
wie ihre Dienstboten und Wünsche.

Novalis (1772-1801)

◆

Man lernt nie aus

In den nun über sechzig Jahren meines Lebens
habe ich die Gespräche des Kung Fu-Dse
gleichsam in drei verschiedenen Etappen studiert.
In den ersten zwanzig Jahren las ich sie
Satz für Satz als Literatur,
in den nächsten zwanzig Jahren
als Richtschnur für meine Handlungen,
aber erst in den letzten zwanzig Jahren
begriff ich, daß Satz für Satz
dieser Gespräche der Wiederherstellung
der Ordnung im Reich
und dem Frieden der Menschen gilt.

Yän Yüen (1635-1704)

Wissen

Wissen ist Macht.

Francis Bacon (1561-1626)

Was ist Aufklärung?

Aufklärung ist der Ausgang des Menschen
aus seiner selbstverschuldeten Unmündigkeit.
Unmündigkeit ist das Unvermögen,
sich seines Verstandes ohne Leitung
eines anderen zu bedienen.
Selbstverschuldet ist diese Unmündigkeit,
wenn die Ursache derselben nicht am Mangel
des Verstandes, sondern der Entschließung
und des Mutes liegt, sich seiner ohne Leitung eines
anderen zu bedienen. Sapere aude! Habe Mut,
dich deines eigenen Verstandes zu bedienen!
ist also der Wahlspruch der Aufklärung.

Immanuel Kant (1724-1804)

Erkenntnis und Interesse

Es gibt Erkenntnisse, die gewinnt man nur,
wenn man ein Interesse hat, sie zu gewinnen.

Ernst Bloch (1885-1977)

Die Sache der Philosophie

Es gibt keine Sache der Philosophie,
die vom Menschen loslösbar ist.
Der philosophierende Mensch,
seine Grunderfahrungen, seine Handlungen,
seine Welt, sein alltägliches Verhalten,
die aus ihm sprechenden Mächte
sind nicht beiseite zu lassen.

Karl Jaspers (1883-1969)

◆

Die Unfehlbarkeit deiner Trugschlüsse

Wer gibt dir das Recht,
über den Glauben andrer zu lächeln?
Du glaubst doch
wenigstens ebenso fest wie sie,
aber freilich nicht an Gott,
sondern an die Unfehlbarkeit
deiner Trugschlüsse.

Karl May (1842-1912)

◆

Wirkliches Glück gewährt nur die Illusion

Die Philosophen sollten sich klarmachen,
daß es nicht auf das Leben an sich ankommt,
sondern darauf, daß es gut und glücklich
oder besser gesagt, nicht gar zu schlecht
und unglücklich verläuft.
Aber wirkliches Glück gewährt nur die Illusion,
und jedes Glück, das sich von der Wahrheit nährt,
ist trügerisch; oder vielmehr:
Jedes Glück erweist sich als trügerisch und hinfällig,
wenn das, worauf es sich bezieht,
in seiner wahren Gestalt erkannt wird.

Giacomo Leopardi (1798-1837)

◆

Kein Mensch hat öfter unrecht

Kein Mensch hat öfter unrecht als derjenige,
der nicht leiden kann,
daß er unrecht habe.

Francois La Rochefoucauld (1613-1680)

◆

Das Leben und die Wahrheit

Das Gesetz der Trägheit besteht darin,
daß der größte Teil der Menschheit nicht denkt,
um die Wahrheit zu erkennen,
sondern um sich einzureden,
sie befänden sich in der Wahrheit,
um sich in dem Glauben zu befestigen,
das Leben, das sie führen
und das ihnen angenehm
und gewohnt ist, sei eben das,
das mit der Wahrheit übereinstimmt.

Leo N. Tolstoi (1828-1910)

◆

Die Wahrheit

Die Wahrheit hat tausend Hindernisse
zu überwinden, um unbeschädigt
zu Papier zu kommen
und von Papier wieder zu Kopf.

Georg Christoph Lichtenberg (1742-1799)

◆

Zumutbar

Die Wahrheit ist dem Menschen zumutbar.

Ingeborg Bachmann (1926-1973)

◆

Wenn die Wahrheit zu schwach ist

Wenn die Wahrheit zu schwach ist,
sich zu verteidigen, muß sie zum Angriff übergehen.

Galileo Galilei (1564-1642)

◆

Logik, nicht Metaphysik

Ich bin der Auffassung, daß in der Philosophie
die Logik grundlegend ist
und daß Schulen nach ihrer Logik
und nicht ihrer Metaphysik
unterschieden werden sollten.

Bertrand Russell (1872-1970)

200 Jahre warten

Wenn der allmächtige Gott 6000 Jahre
auf einen Menschen gewartet hat,
welcher sieht, was er geschaffen hat,
dann kann ich wohl auch 200 Jahre
auf einen warten, der versteht, was ich erkannt habe.

Johannes Kepler (1571-1530)

◆

Ich habe die Welt nichts Neues zu lehren

Ich habe die Welt nichts Neues zu lehren;
Wahrheit und Gewaltlosigkeit
sind so alt wie die Berge.
Ich habe lediglich versucht,
die ewigen Wahrheiten
auf unser tägliches Leben
und seine Schwierigkeiten anzuwenden.

Mahatma Gandhi (1869-1948)

◆

Von den Dichtern

Ach, es gibt so viele Dinge
zwischen Himmel und Erde,
von denen sich nur die Dichter
etwas haben träumen lassen!
Und zumal über dem Himmel:
Denn alle Götter sind Dichter-Gleichnis,
Dichter-Erschleichnis!
Wahrlich, immer zieht es uns hinan -
nämlich zum Reich der Wolken:
auf diese setzen wir unsre bunten Bälge
und heißen sie dann Götter und Übermenschen: -
Sind sie doch gerade leicht genug
für diese Stühle! - alle diese Götter
und Übermenschen.
Ach, wie bin ich all des Unzulänglichen müde,
das durchaus Ereignis sein soll!
Ach, wie bin ich der Dichter müde!

Friedrich Wilhelm Nietzsche (1844-1900)

Die Wahrheit kann warten

Die Wahrheit kann warten,
denn sie hat ein langes Leben vor sich.

Arthur Schopenhauer (1788-1860)

◆

Was vernünftig ist

Was vernünftig ist, das ist wirklich;
und was wirklich ist, das ist vernünftig.

Georg Wilhelm Friedrich Hegel (1770-1831)

◆

Ob das Leben sich lohnt

Es gibt nur ein wirklich ernstes
philosophisches Problem: den Selbstmord.
Die Entscheidung,
ob das Leben sich lohne oder nicht,
beantwortet die Grundfrage der Philosophie.

Albert Camus (1913-1960)

Wer wohlgemut leben will

Wer wohlgemut leben will,
soll nicht vielerlei treiben, weder im eigenen
noch im Gemeinschaftsleben, und was immer er treibt,
nicht über seine eigene Kraft und Natur erstreben,
sondern so sehr auf seiner Hut sein,
daß, selbst wenn das Glück einschlägt
und ihn zum Übermaß verführen will
durch seinen Glauben, er das niedrig schätzt
und nicht mehr unternimmt,
als was seiner Kraft entspricht.
Denn die mäßige Fülle ist etwas
Sichereres als die Überfülle.

Demokrit (um 460 - um 371 v.Chr.)

◆

Verstehen

Die verstehen sehr wenig, die nur das verstehen, was
sich erklären läßt.

Marie von Ebner-Eschenbach (1830-1916)

◆

Wer wahrhaft philosophieren will

Nur derjenige ist auf den Grund seiner selbst
gekommen und hat die ganze Tiefe des Lebens erkannt,
der einmal alles verlassen hatte und selbst
von allem verlassen war, dem alles versank
und der mit dem Unendlichen sich allein gesehen:
ein großer Schritt, den Platon mit dem Tode verglichen.
Was Dante an der Pforte
des Infernum geschrieben sein läßt,
dies ist in einem andern Sinn auch
vor den Eingang zur Philosophie zu schreiben:
„Laßt alle Hoffnung fahren, die ihr eingeht."
Wer wahrhaft philosophieren will,
muß aller Hoffnung, alles Verlangens,
aller Sehnsucht los sein, er muß nichts wollen,
nichts wissen, sich ganz bloß und arm fühlen,
alles dahingeben, um alles zu gewinnen.
Schwer ist dieser Schritt, schwer,
gleichsam noch vom letzten Ufer zu scheiden.

Friedrich Wilhelm Joseph von Schelling (1775–1854)

◆

Von der Wahrheit zur Bewährung

Von jenen unwichtigen Wahrheiten des Schlages
„zwei mal zwei ist vier",
in denen die Menschen leicht übereinstimmen,
ohne einen anderen Aufwand
als ein bißchen Gehirnschmalz -
beim kleinen Einmaleins etwas weniger,
bei der Relativitätstheorie etwas mehr -
führt der Weg über die Wahrheiten,
die sich der Mensch etwas kosten läßt,
hin zu jenen, die er nicht anders bewähren kann
als mit dem Opfer seines Lebens,
und schließlich zu denen, deren Wahrheit erst der
Lebenseinsatz aller Geschlechter bewähren kann.

Franz Rosenzweig (1886-1929)

◆

Das Herz

Das Herz hat seine Gründe, die die Vernunft nicht kennt.

Blaise Pascal (1623-1662)

◆

Grenzen der menschlichen Erkenntnis

Nichts scheint mir ungereimter,
als keck ins Blaue hinein
über die Geheimnisse der Natur,
die Einflüsse der Gestirne
und die verborgenen Dinge der Zukunft
zu streiten, ohne ein einziges Mal
untersucht zu haben,
ob der menschliche Geist
überhaupt so weit reicht.

René Descartes (1596-1650)

◆

Unsere Lebensprobleme

Wir fühlen, daß selbst,
wenn alle möglichen wissenschaftlichen Fragen
beantwortet sind, unsere Lebensprobleme
noch gar nicht berührt sind.

Ludwig Wittgenstein (1889-1951)

◆

Alles ist ein Rätsel
Alles um euch, alles in euch ist ein Rätsel,
dessen Lösung zu erraten dem
Menschen nicht gegeben ist.

Voltaire (1694-1778)

◆

Bilder und Gleichnisse
Wir sind gezwungen,
in Bildern und Gleichnissen zu sprechen,
die nicht genau das treffen,
was wir wirklich meinen.
Wir können auch gelegentlich
Widersprüche nicht vermeiden,
aber wir können uns doch mit diesen Bildern dem
wirklichen Sachverhalt irgendwie nähern.
Den Sachverhalt selbst dürfen wir nicht verleugnen.

Werner Heisenberg (1901-1976)

◆

Nicht mit blindem Glauben

Ein so bedeutender Mann
wie zum Beispiel Augustinus
wollte durchaus seine eigenen Bücher
nicht anders gelesen wissen,
als wie er es selbst gewohnt war,
die Bücher anderer zu lesen,
und seien sie auch noch so berühmte Autoren:
nicht mit blindem Glauben,
sondern mit der Freiheit, kritisch zu urteilen.

Erasmus von Rotterdam (1469-1536)

Nach skeptischen Grundsätzen

Wenn wir Philosophen sind,
sollten wir es nur nach
skeptischen Grundsätzen sein.

David Hume (1711-1776)

Rückfrage auf die vorgegebene Welt

Wenn Wissenschaft Fragen stellt und beantwortet,
so sind es von Anfang an, und so notwendig weiter,
Fragen auf dem Boden dieser,
an den Bestand dieser vorgegebenen Welt,
in der eben ihre wie alle
sonstige Lebenspraxis sich hält.
In dieser spielt schon Erkenntnis
als vorwissenschaftliche Erkenntnis
eine beständige Rolle, mit ihren Zielen,
die sie in dem Sinne, den sie meint,
auch jeweils durchschnittlich für die Ermöglichung
praktischen Lebens im ganzen genügend erreicht.

Edmund Husserl (1859-1938)

Der Weiseste

Wer unter weisen Menschen der demütigste ist,
der ist der weiseste.

Ptolemäus (um 90 - um 168)

Der Mensch, der denkt
Wenn die Natur uns dazu bestimmt hat,
gesund zu sein, wage ich beinahe zu behaupten,
daß der Zustand der Reflexion
gegen die Natur streitet,
und daß ein Mensch, der denkt,
ein entartetes Tier ist.

Jean Jacques Rousseau (1717-1778)

◆

Viele verlieren den Verstand nicht
Viele verlieren den Verstand nicht,
weil sie keinen haben.

Balthasar Gracián y Morales (1601-1658)

◆

Die Leute, die immer belehren wollen
Die Leute, die immer belehren wollen,
verhindern oft das Lernen.

Charles de Montesquieu (1689-1755)

◆

Was ist wert, gewußt zu werden?

◆

**Jeder sucht etwas anderes
in der Philosophie**
Aus der mystischen Beschaffenheit
der Philosophie ist es erklärbar,
warum jeder in der Philosophie
etwas anderes sucht
und warum die wahre Philosophie
nie dargestellt werden konnte.

Novalis (1772-1801)

◆

Der König und der Kyniker

Es heißt, daß Diogenes, als sich ihm
Alexander der Große mit den Worten
„Ich bin Alexander, der große König" vorgestellt hatte,
erwiderte: „Und ich bin Diogenes, der Hund."

Diogenes von Sinope (414-323 v.Chr.)

Selber denken

Das Denken fördert unser Leben nur,
wenn es unserem eigenen Kopf entspringt
oder wenigstens eine Frage beantwortet,
die in unserer eigenen Seele entstanden ist;
fremde Gedanken hingegen,
die wir nur unserem Verstand und Gedächtnis
verdanken, beeinflussen das Leben nicht
und vertragen sich bestens
mit lebensfeindlichen Handlungen.

Leo N. Tolstoi (1828-1910)

Einsicht

Das Notwendigste, was die Welt braucht,
um glücklich zu werden, ist Einsicht.

Bertrand Russell (1872-1970)

◆

Wenn ich geschwiegen hätte

Wäre ich so klug gewesen,
wie nach Ansicht der Wilden die Affen sind,
so würde kein Mensch auf der Welt wissen,
daß ich Bücher schreibe.
Die Wilden, so sagt man, bilden sich nämlich ein,
daß die Affen sprechen könnten,
wenn sie nur wollten, es aber absichtlich nicht tun,
damit man sie nicht zum Arbeiten zwingt.
Ich bin nicht so klug gewesen,
das Schreiben zu lassen. Darum habe ich
nicht mehr so viel Ruhe und Muße, als ich gehabt
hätte, wenn ich geschwiegen hätte.

René Descartes (1596-1650)

◆

Kein Satz, über den man nicht streitet

Ich will von der Philosophie nichts sagen,
als daß ich sah, daß sie
von den ausgezeichnetsten Köpfen,
die seit mehreren Jahrhunderten gelebt haben,
gepflegt worden ist, und daß sich
trotzdem in ihr noch kein Satz findet,
über den man nicht streitet
und der infolgedessen nicht zweifelhaft wäre.

René Descartes (1596-1650)

◆

Unersättliche Vielwisser

Ich glaube,
daß der Körper eines Wassersüchtigen
kaum ungesünder ist
als der Geist unersättlicher Vielwisser.

René Descartes (1596-1650)

◆

Ein schlechter Philosoph

Es gibt kein deutlicheres Anzeichen dafür,
daß einer ein schlechter Philosoph
und wenig weise ist, als wenn er behauptet,
sein ganzes Leben als Weiser
und Philosoph führen zu können.

Giacomo Leopardi (1798-1837)

◆

Die allerwichtigste Regel

Tu nichts, was dein Gewissen verurteilt,
und sag nichts, was gegen die Wahrheit ist.
Wenn du diese allerwichtigste Regel befolgst,
wirst du die ganze Aufgabe deines Lebens erfüllen.
Die Aufgabe des Lebens besteht nicht darin,
auf der Seite der Mehrheit zu stehen,
sondern dem inneren Gesetz zu folgen,
das du erkannt hast.

Mark Aurel (161-180)

◆

Tradition

Wir stehen alle
auf den Schultern unserer Vorderen.

Arthur Schopenhauer (1788-1860)

Was ist wert, gewußt zu werden?

Was die geringfügigen und häßlichen Dinge betrifft,
von denen man, wie Plinius sagt,
nicht reden darf, ohne um Erlaubnis zu bitten,
so müssen sie ebenso gut erkannt werden
als die herrlichsten und kostbarsten.
Die Wissenschaft ist nicht zu beflecken.
Auch die Sonne scheint in gleicher Weise
auf Paläste wie auf Kloaken
und wird dadurch nicht unrein.
Was wert ist zu sein,
ist auch wert gewußt zu werden.

Francis Bacon (1561-1626)

Kaum den zehnten Teil auch nur gelesen

Überdies läßt sich berechnen,
daß so ein geldverdienender Geschichtsschreiber
der Philosophie kaum den zehnten Teil der Schriften,
darüber er Bericht erstattet,
auch nur gelesen haben kann;
ihr wirkliches Studium erfordert ein
ganzes, langes und arbeitsames Leben
wie es ehemals, in den alten Zeiten, der
wackere Brucker*) daran gesetzt hat.

Arthur Schopenhauer (1788-1860)

*) Johann Jakob Brucker (1696-1770), Verfasser der fünfbändigen
Philosophiegeschichte „Historica critica philosophiae"

Vom Wahrsagen

Vom Wahrsagen läßt sich wohl leben in der Welt,
aber nicht vom Wahrheitsagen.

Georg Christoph Lichtenberg (1742-1799)

Die ganze Zukunft ist bestimmt

Die ganze Zukunft ist bestimmt;
daran besteht kein Zweifel.
Aber da wir nicht wissen,
wie sie bestimmt,
was vorgesehen oder
beschlossen worden ist,
so müssen wir unsere Pflicht tun
nach der uns von Gott gegebenen Vernunft
und nach den uns von
ihm vorgeschriebenen Regeln.
Danach dürfen wir ruhigen Gemütes Gott
die Sorge um den Ausgang anheimstellen;
denn er wird immer das tun,
was er für das Beste hält,
nicht nur im allgemeinen,
sondern auch im besonderen.

Gottfried Wilhelm Leibniz (1646-1716)

◆

Seitdem zittern die Ochsen

Als Pythagoras seinen
bekannten Lehrsatz entdeckte,
brachte er den Göttern
eine Hekatombe Ochsen dar.
Seitdem zittern die Ochsen,
sooft eine neue Wahrheit ans Licht kommt.

Ludwig Börne (1786-1837)

Schreibe mit Blut

Von allem Geschriebenen
liebe ich nur das, was einer
mit seinem Blut schreibt.
Schreibe mit Blut:
und du wirst erfahren,
daß Blut Geist ist.

Friedrich Wilhelm Nietzsche (1844-1900)

Der Zufall

Sooft etwas um irgendeiner Sache willen geschieht,
und aus bestimmten Gründen etwas anderes eintrifft
als beabsichtigt, so nennt man das Zufall
- zum Beispiel wenn jemand die Erde umgräbt,
um den Acker zu bestellen
und dabei einen Schatz vergrabenen Goldes findet.
Man glaubt zwar, das sei zufällig so geschehen,
aber es ist nicht aus dem Nichts entstanden,
sondern es hat eigene Ursachen,
durch deren plötzliches
und unerwartetes Zusammentreffen das
zustandekommt, was wie Zufall aussieht.
Hätte nämlich der Bauer
nicht den Boden umgegraben
und hätte der Verstecker sein Gold
nicht ausgerechnet an dieser Stelle mit Erde bedeckt,
dann wäre das Gold nicht gefunden worden.
Der zufällige Gewinn ist also aus sich kreuzenden

und zusammenströmenden Ursachen,
nicht aber aufgrund des Willens
der Beteiligten entstanden.
Denn weder derjenige, der das Gold vergrub,
noch der, der es ausgrub, beabsichtigte den
Goldfund, sondern, wie gesagt, es traf zusammen,
daß dieser dort gegraben hatte,
wo jener vergraben hatte.
Man kann also festhalten:
Zufall ist ein unvermutetes Ereignis,
das durch Dinge verursacht wird,
die wegen eines bestimmten Zwecks getan werden.
Daß aber die Ursachen zusammentreffen,
bewirkt jene Ordnung, die in
unentrinnbarer Verknüpfung vorwärts schreitet,
die aus dem Quell der Vorsehung herabsteigt
und alles nach seinem Ort und seiner Zeit einteilt.

Nicius Manlius Severinus Boethius (um 478-524)

◆

Asyl der Unwissenheit

Die Anhänger der Lehre,
welche im Angeben der Zwecke der Dinge
ihren Scharfsinn zeigen wollen,
haben eine neue Art der Beweisführung aufgebracht,
um diese Lehre glaubhaft zu machen:
nämlich die Reduktion nicht auf das Unmögliche,
sondern auf die Unwissenheit; was zeigt,
daß ihnen kein anderes Beweismittel
für diese Lehre zu Gebote stand.
Wenn z.B. ein Stein von einem Dach
auf den Kopf eines Menschen fällt
und ihn tötet, so beweisen sie,
daß der Stein gefallen sei,
um den Menschen zu töten,
folgendermaßen: Wäre der Stein nicht
zu eben diesem Zweck nach dem Willen
Gottes heruntergefallen, wie hätten da
so viele Umstände (denn oft treffen viele zusammen)
durch Zufall zusammentreffen können?
Antwortet man, es sei so gekommen,

weil der Wind wehte und
weil der Mensch gerade dort vorbeiging,
so wenden sie dagegen ein:
Weshalb hat der Wind gerade damals geweht?
Warum ist der Mensch gerade damals dort
vorbeigegangen? Erwidert man darauf:
Der Wind fing damals zu wehen an,
weil das Meer tags zuvor bei noch ruhigem Wetter
in Bewegung kam, und der Mensch
ging damals dort vorbei, weil er von einem Freund
eingeladen war, so wenden sie,
da das Fragen kein Ende hat, abermals ein:
Warum aber kam das Meer in Bewegung?
Warum war der Mensch eingeladen?
- Und so werden sie nicht aufhören,
fort und fort nach den Ursachen der Ursachen
zu fragen, bis man zum Willen Gottes
seine Zuflucht nimmt,
das heißt zum Asyl der Unwissenheit.

Baruch Spinoza (1632-1677)

◆

Geschieht alles nach Notwendigkeit?

Wer behauptet,
es geschehe alles nach Notwendigkeit,
kann demjenigen keinen Vorwurf machen,
der sagt, es geschehe nicht alles nach Notwendigkeit;
denn er muß ja erklären,
daß auch dies nach Notwendigkeit geschehe.

Epikur (341-270 v.Chr.)

◆

Die Kunst ist das Höchste

Die Kunst ist eben deswegen dem Philosophen
das Höchste, weil sie ihm das
Allerheiligste gleichsam öffnet,
wo in ewiger und ursprünglicher Vereinigung
gleichsam in einer Flamme brennt,
was in der Natur und Geschichte getrennt ist.

Friedrich Wilhelm Joseph von Schelling (1775-1854)

◆

Edle Einfalt und stille Größe

Das allgemeine vorzügliche Kennzeichen
der griechischen Meisterstücke ist
endlich eine edle Einfalt, und eine stille Größe,
sowohl in der Stellung als im Ausdrucke.
So wie die Tiefe des Meers allzeit ruhig bleibt,
die Oberfläche mag noch so wüten,
ebenso zeigt der Ausdruck
in den Figuren der Griechen bei allen
Leidenschaften eine große und gesetzte Seele.

Johann Joachim Winckelmann (1717-1768)

Steter Tropfen

Der Tropfen höhlt den Stein nicht durch Gewalt,
sondern indem er immer wieder
auf ihn niederfällt.

Choerilos von Samos (um 401-350 v.Chr.)

Schönheit

Jeder Begriff einer geistigen Schönheit
ist ein Blick in das Wesen der Gottheit.

Moses Mendelssohn (1729-1786)

◆

Steter Tropfen

Der Tropfen höhlt den Stein nicht durch Gewalt,
sondern indem er immer wieder
auf ihn niederfällt.

Choerilos von Samos (um 401 - 350 v.Chr.)

◆

Es ist Zeit

Es ist Zeit, daß wir gehen;
ich, um zu sterben, und ihr, um zu leben.
Wer aber von uns zu dem besseren Geschäft hingeht,
das ist allen verborgen, außer der Gottheit.

Sokrates (469-399 v.Chr.)

Was ist Zeit?

Was ist Zeit?
Wer könnte das leicht und kurz erklären?
Wer vermöchte es auch
nur in Gedanken zu begreifen,
um es dann in Worten auszudrücken?
Andererseits ist uns nichts vertrauter
und geläufiger als der Ausdruck Zeit.
Wenn wir das Wort aussprechen,
verstehen wir auch, was es meint,
und verstehen es genauso,
wenn es ein anderer ausspricht.
Was ist also „Zeit"?
Wenn mich niemand danach fragt,
weiß ich es;
will ich es aber einem Fragenden erklären,
dann weiß ich es nicht.

Aurelius Augustinus (354–430)

◆

„Ich weiß, daß ich nichts weiß..."

Sokrates sagte, er habe durch vieles Forschen
gefunden, daß er noch nichts weiß.
Dieser tiefsinnige Ausspruch ist
von seichten Köpfen herumgeworfen worden,
ohne daß sie ihn eingesehen haben.
Es gehört sehr viel dazu,
seine Unwissenheit zu wissen.
Die Grenzen seiner Erkenntnis, den Umfang derselben
einzusehen und dadurch zu erkennen,
daß ich nichts weiß;
das ist sehr tiefe Philosophie.

Immanuel Kant (1724-1804)

Der Mensch ist imstande...

Der Mensch ist imstande,
die höchsten Gipfel zu erklimmen;
allerdings kann er nicht lange auf ihnen verweilen.

George Bernard Shaw (1856-1950)

Das Schicksal des Sokrates

Das Schicksal des Sokrates ist eines der wesentlichen
Themen der abendländischen Geistesgeschichte.
Welche Wege die philosophische Selbstbesinnung
seit dem Jahre 399 v.Chr. auch gehen mag,
irgendwann führen sie zu der rätselhaften Gestalt,
die den Begegnenden so tief anrührt.
Sokrates ist kein systematischer Philosoph
und sagt doch über das, was Philosophie bedeutet,
mehr als viele methodisch geordnete Schriften.
Er ist unnachahmbar und hat doch
auf die geistig-menschliche Haltung
der folgenden Zeiten tiefer gewirkt
als die meisten Lehrer geistiger Lebensführung sonst.
Seinem Schicksal aber, das so ganz
aus einer bestimmten Situation herauswächst
und so eng an seine persönliche Eigenart gebunden ist,
wohnt eine Kraft der Vorbildlichkeit inne
wie nur wenigen anderen geschichtlichen Gestalten.

Romano Guardini (1885-1968)

◆

Der Mensch ist eine kleine Welt

◆

Der Mensch ist eine kleine Welt
Der Mensch ist eine kleine Welt aus der großen
und hat der ganzen großen Welt
Eigenschaft in sich: Also hat er auch der Erden
und Steine Eigenschaft in sich,
denn Gott sprach zu ihm nach dem Falle:
Du bist Erde und sollst zu Erde werden.

Jakob Böhme (1575-1624)

◆

Nur ein winziges Nichts

In der Physik, wie in jeder anderen Wissenschaft,
regiert nicht allein der Verstand,
sondern auch die Vernunft.
Nicht alles, was keinen logischen Widerspruch
aufweist, ist auch vernünftig.
Und die Vernunft sagt uns, daß,
wenn wir einem sogenannten Gegenstand
den Rücken kehren und uns von ihm entfernen,
doch etwas von ihm da ist; sie sagt uns weiter,
daß der einzelne Mensch,
daß wir Menschenwesen
alle mitsamt unserer Sinnenwelt,
ja mitsamt unserm ganzen Planeten
nur ein winziges Nichts bedeuten
in der großen unfaßbar erhabenen Natur,
deren Gesetze sich nicht nach dem richten,
was in einem kleinen Menschenhirn vorgeht,
sondern bestanden haben,
bevor es überhaupt Leben auf der Erde gab,

und fortbestehen werden,
wenn einmal der letzte Physiker
von ihr verschwunden sein wird.

Max Planck (1858-1947)

Der Himmel unterbricht nicht den Winter

Der Himmel unterbricht nicht den Winter,
weil der Mensch die Kälte haßt.
Die Erde hört nicht auf, von gewaltiger Größe zu sein,
weil der Mensch große Entfernungen haßt.
Der edle Mensch gibt nicht seine Art zu handeln auf,
weil Niedrigdenkende sich zeternd dagegen sträuben.

Hsün Dse (um 286-238 v.Chr.)

Der höhere Sinn

Die Menschheit ist der höhere Sinn unseres Planeten.

Novalis (1772-1801)

Stadt des Seins

Die spätmittelalterliche Kultur blühte,
weil die Vision von der Stadt Gottes
die Menschen beflügelte.
Die Gesellschaft der Neuzeit blühte,
weil die Vision der irdischen Stadt des Fortschritts
die Menschen mit Energie erfüllte.
In unserem Jahrhundert hat diese Vision
jedoch die Züge des Turms von Babel angenommen,
der jetzt einzustürzen beginnt und schließlich
alle unter seinen Trümmern begraben wird.
Wenn die Stadt Gottes und die irdische Stadt These
und Antithese darstellten, dann ist eine neue Synthese
die einzige Alternative zum Chaos:
die Synthese zwischen dem religiösen Kern
der spätmittelalterlichen Welt und der Entwicklung
des wissenschaftlichen Denkens
und des Individualismus seit der Renaissance.
Diese Synthese ist die Stadt des Seins.

Erich Fromm (1900-1980)

◆

Die Aufgabe der Geschichte

Die Aufgabe der Geschichte ist es,
nachdem das Jenseits
der Wahrheit verschwunden ist,
die Wahrheit des Diesseits zu etablieren.

Karl Marx (1818-1883)

◆

Biogemeinschaft

Wenn die ökologische Wahrnehmung
Teil des alltäglichen Bewußtseins wird,
dann wird es ganz natürlich,
daß wir die Sympathien und Zuneigungen,
die wir unserer Familie gegenüber haben
und dann weiterhin unseren Freunden gegenüber,
unserer Gemeinschaft gegenüber
und schließlich der gesamten Menschheit gegenüber,
auf die gesamte lebende Welt,
auf die gesamte Biogemeinschaft ausdehnen.

Fritjof Capra (*1939)

◆

Der Mensch

Aller Dinge Maß ist der Mensch, der seienden,
wie sie sind, der nicht seienden, wie sie nicht sind.

Protagoras von Abdera (um 481-411 v. Chr.)

Naturgesetze

Hätte die Natur so viele Gesetze als der Staat,
Gott selbst könnte sie nicht regieren.

Ludwig Börne (1786-1837)

Demut öffnet das Geistesauge

Demut öffnet das Geistesauge
für alle Werte der Welt.
Sie erst, die davon ausgeht,
daß nichts verdient sei und alles Geschenk
und Wunder, macht alles gewinnen.

Max Scheler (1874-1928)

Der Mensch ist eine Maschine

Ich täusche mich sicher nicht,
der menschliche Körper ist eine Uhr,
aber eine erstaunliche und mit so viel Kunst
und Geschicklichkeit verfertigte, daß,
wenn das Sekundenrad stillsteht,
das Minutenrad seinen Gang immer weiter geht,
und ebenso das Viertelstundenrad
und alle die andern
in ihrer Bewegung fortfahren,
wenn die ersteren verrostet
oder aus irgend einer Ursache verdorben sind
und ihren Gang unterbrochen haben.
Denn es ist doch so,
daß die Verstopfung einiger Gefäße nicht ausreicht,
den Stützpunkt aller Bewegungen zu zerstören
oder zu unterbrechen, der im Herzen
als dem treibenden Teil der Maschine liegt.

Julien Offray de La Mettrie (1709-1751)

◆

Die Stachelschweine

Eine Gesellschaft Stachelschweine
drängte sich an einem kalten Wintertag
recht nahe zusammen, um durch die gegenseitige
Wärme sich vor dem Erfrieren zu schützen.
Jedoch bald empfanden sie die gegenseitigen Stacheln,
welches sie dann wieder von einander entfernte.
Wann nun das Bedürfnis der Erwärmung
sie wieder näher zusammen brachte,
wiederholte sich jenes zweite Übel,
so daß sie zwischen beiden Leiden
hin und her geworfen wurden,
bis sie eine mäßige Entfernung von einander
herausgefunden hatten,
in der sie es am besten aushalten konnten.
So treibt das Bedürfnis der Gesellschaft,
aus der Leere und Monotonie
des eigenen Innern entsprungen,
die Menschen zueinander;
aber ihre vielen widerwärtigen Eigenschaften
und unerträglichen Fehler

stoßen sie wieder voneinander ab.
Die mittlere Entfernung, die sie endlich herausfinden,
und bei welcher ein Beisammensein bestehen kann,
ist die Höflichkeit und feine Sitte.
Dem, der sich nicht in dieser Entfernung hält,
ruft man in England zu: keep your distance!
- Vermöge derselben wird zwar das Bedürfnis
gegenseitiger Erwärmung nur
unvollkommen befriedigt, dafür aber der
Stich der Stacheln nicht empfunden.
Wer jedoch viel eigene innere Wärme hat,
bleibt lieber aus der Gesellschaft weg,
um keine Beschwerde zu geben noch zu empfangen.

Arthur Schopenhauer (1788-1860)

◆

Der Mensch allein hat Würde

Alle Dinge haben einen Preis,
der Mensch allein hat Würde.

Immanuel Kant (1724-1804)

◆

Der Mensch

Was für ein wunderbares Wesen
ist doch der Mensch, wenn er ein Mensch ist!

Abu Muhammad Abdallah Ibn Qutaiba (828-889)

◆

Narren

Narren sind alle, die es scheinen,
und die Hälfte derer, die es nicht scheinen.

Balthasar Gracián y Morales (1601-1658)

◆

Du kannst zum Tier entarten

Ich, so spricht Gott zu den Menschen,
habe dich mitten in die Welt gesetzt,
damit du umso leichter erblicken mögest,
was dein ist. Weder zum irdischen
noch zum himmlischen, weder zum sterblichen
noch zum unsterblichen Wesen
habe ich dich erschaffen, so daß du als dein eigener
Bildhauer dir selbst deine Züge meißeln kannst.

Du kannst zum Tier entarten,
du kannst dich aber auch aus dem
freien Willen deines Geistes
zum gottähnlichen Wesen wiedergebären.

Pico della Mirandola (1463-1494)

◆

Humanität

Ich wünschte, daß ich
in das Wort Humanität alles fassen könnte,
was ich bisher über des Menschen
edle Bildung zur Vernunft und Freiheit,
zu feineren Sinnen und Trieben,
zur zartesten und stärksten Gesundheit,
der Erde gesagt habe;
denn der Mensch hat kein edleres Wort
für seine Bestimmung,
als er selbst ist.

Johann Gottfried Herder (1744-1803)

◆

Der Tod geht uns nichts an

Gewöhne dich an den Gedanken,
daß der Tod uns nichts angeht.
Denn solange wir sind, ist der Tod nicht da,
und sobald er da ist, sind wir nicht mehr.
Die Mehrheit der Menschen flieht
bald den Tod als das größte Übel,
bald sucht sie ihn, um von den Übeln
des Lebens auszuruhen.
Der Weise allerdings verschmäht weder das Leben
noch fürchtet er das Nichtleben.

Epikur (341-270 v.Chr.)

◆

Unsere Vorstellungen von den Dingen

Nicht die Dinge selbst,
sondern unsere Vorstellungen
von den Dingen machen
uns glücklich oder unglücklich.

Epiktet (um 55 - um 135)

◆

Wovor ich mich am meisten fürchte
Wovor ich mich am meisten fürchte, das ist die Furcht.

Michel E. Montaigne (1533-1592)

◆

Das Schicksal
Was die Leute gemeiniglich das Schicksal nennen,
sind meistens nur ihre eigenen dummen Streiche.

Arthur Schopenhauer (1788-1860)

◆

Das Schicksal
Das Schicksal nimmt nichts, was es nicht gegeben hat.

Lucius Annaeus Seneca (4 v.Chr. - 65 n.Chr.)

◆

Wer sein eigener Herr sein kann
Wer sein eigener Herr sein kann,
der gebe sich anderen nicht zu eigen.

Paracelsus (1494-1541)

◆

Gewisse Dinge gilt es zu erhalten

Es ist unsere Pflicht, dafür einzustehen,
gerade wegen der Größe unserer Macht
und wegen des Fehlens
einer ethischen Fundierung,
daß es doch gewisse Dinge -
ich scheue mich nicht zu sagen:
etwas Heiliges zu erhalten gilt, eben das,
was die Evolution hervorgebracht hat.

Hans Jonas (1903-1993)

◆

Die Stille

Die Stille fehlt uns nicht, denn wir haben sie.
An dem Tag, an dem sie uns fehlt,
haben wir nicht verstanden,
sie uns zu nehmen.

Mark Aurel (161-180)

◆

Lebendige zwischenmenschliche Rede

Man hat augenscheinlich bisher
recht wenig auf den Umstand geachtet,
daß die Sprache in der „Aktualität"
ihres Gesprochenwerdens etwas ist,
das sich zwischen zwei Personen,
der redenden und der angesprochenen abspielt.
Von dieser simplen Tatsache muß jeder Versuch,
die Sprache in Hinsicht auf ihre eigentliche
geistige Bedeutung zu ergründen,
seinen Ausgang nehmen.

Ferdinand Ebner (1882-1931)

◆

Fortschritt in der Freiheit

Die Beherrschung unserer Leidenschaften
ist der wahre Fortschritt in der Freiheit.

John Locke (1632-1704)

◆

Die Übung der Sammlung

Die Übung der Sammlung,
die nicht mit Konzentrations- oder
Entspannungsübungen oder autogenem Training
zu verwechseln ist, meint soviel
wie Anwesendwerden, d.h. daß wir
für unser ursprüngliches,
leibhaftiges Anwesen offen werden,
es sein lassen, annehmen und übernehmen.
Dieses ursprüngliche Anwesen ist eben
die Versammlung von Zukunft und
Gewesenheit in eine Gegenwart,
die für den abgründigen Ursprung des Anwesens
offen ist. Es beschränkt sich nicht
auf die Gegenwart, auf das Leben im Jetzt
unter Ausblendung des Kommenden und
Gewesenen. Das Gesammeltsein gibt dem Dasein
erst den Zeitspielraum zum sittlichen, religiösen,
künstlerischen oder philosophischen Vollzug frei. –

Vermutlich sind diese Gedanken ohne Praxis,
ohne die Übung der Sammlung
kaum zu verstehen.

Augustinus Wucherer-Huldenfeld (*1929)

◆

Wie ein Schiff, das im Kreis fährt

Mit der scheinbar unbegrenzten Ausbreitung
ihrer materiellen Macht kommt die Menschheit
in die Lage eines Kapitäns, dessen Schiff
so stark aus Eisen und Stahl gebaut ist,
daß die Magnetnadel seines Kompasses
nur noch auf die Eisenmasse des Schiffes zeigt,
nicht mehr nach Norden. Mit einem solchen Schiff
kann man kein Ziel mehr erreichen;
es wird nur noch im Kreis fahren und daneben
dem Wind und der Strömung ausgeliefert sein.

Werner Heisenberg (1901-1976)

◆

Das Ziel des menschlichen Lebens
Daß das Ziel des menschlichen Lebens
die Selbstvervollkommnung, die
Selbstvervollkommnung der unsterblichen Seele sei,
daß dies das einzige Ziel des menschlichen Lebens sei,
ist schon deshalb wahr, weil jedes andere Ziel
in Anbetracht des Todes sinnlos ist.

Leo N. Tolstoi (1828-1910)

Günstiger Wind
Wer keinen bestimmten Hafen ansteuert,
dem ist kein Wind günstig.

Michel E. Montaigne (1533-1592)

Sich selbst verwirklichen
Im Dienst an einer Sache oder in der Liebe zu einer
Person erfüllt der Mensch sich selbst.
Je mehr er aufgeht in seiner Aufgabe,
je mehr er hingegeben ist an seinen Partner,

umso mehr ist er Mensch, umso mehr wird er er selbst.
Sich selbst verwirklichen kann er also eigentlich
nur in dem Maße, in dem er sich selbst vergißt,
in dem er sich selbst übersieht.

*Viktor E. Frankl (*1905)*

◆

Sich selbst zu wählen

Max Frisch hat seinem Roman „Stiller",
in dem er das Problem der Identität zum
Thema gemacht hat, folgenden Gedanken
von Sören Kierkegaard als Motto vorangestellt:
„Sieh, darum ist es so schwer, sich selbst zu wählen,
weil in dieser Wahl die absolute Isolation
mit der tiefsten Kontinuität identisch ist,
weil durch sie jede Möglichkeit,
etwas anderes zu werden,
vielmehr sich in etwas anderes umzudichten,
unbedingt ausgeschlossen wird."

Sören Kierkegaard (1813-1855)

◆

Sein Wesen erkennen

Was die Welt als wichtig betrachtet,
erscheint dem Weisen als unwichtig.
Was die Welt als freudvoll betrachtet,
erscheint dem Weisen als leidvoll.
Das kommt nicht etwa daher,
daß der Weise Gefühle besäße,
die jenen der gewöhnlichen Menschen
entgegengesetzt sind.
Nur sucht der Weise Erfüllung
in sich selbst, der gewöhnliche Mensch
hingegen in Äußerlichkeiten.
Wer Freudvolles in sich selber sucht,
findet es in seinem Wesen.
Wer Freudvolles außerhalb
seiner selbst sucht,
findet nur Begehrenswertes.
Begierden sind leicht zu erwecken,
sein Wesen aber zu erkennen ist schwer.

Wang An-Schih (1021-1086)

◆

Wo ich ganz ich selbst bin

Gerade im Ursprung meines Selbstseins
bin ich mir bewußt, mich nicht selbst
geschaffen zu haben. Wenn ich zu mir
als eigentlichem Selbst in das nur und nie
ganz zu erhellende Dunkel meines
ursprünglichen Wollens zurückkehre,
so kann mir offenbar werden:
wo ich ganz ich selbst bin,
bin ich nicht mehr nur ich selbst.
Denn dieses eigentliche „ich selbst",
in welchem ich in erfüllter geschichtlicher Gegenwart
„ich" sage, scheine ich wohl durch mich zu sein,
aber ich überrasche mich doch selbst mit ihm;
ich weiß etwa nach einem Tun:
Ich allein konnte es nicht,
ich konnte es so nicht noch einmal.
Wo ich eigentlich ich selbst war im Wollen,
war ich mir in meiner Freiheit zugleich gegeben.

Karl Jaspers (1883-1969)

◆

Alles ist ineinander verwoben

Denk dir die Welt stets nur als ein
einziges lebendes Wesen,
bestehend aus einer einzigen Substanz
und einer einzigen Seele, und stell dir vor,
wie alles zu der einen Empfindung dieses Wesens wird,
wie es in einem einzigen Antrieb alles wirkt,
wie alles von allem, was geschieht,
mitwirkende Ursache ist, und
in welcher Weise alles zusammengeschichtet und
ineinander verwoben ist. Zuträglich aber ist für jeden,
was seinen Anlagen und seiner Natur entspricht.
Meine Natur aber ist durch die Vernunft bestimmt
und auf das staatliche Leben gerichtet.
Meine Stadt und mein Vaterland ist,
da ich Antoninus heiße, Rom;
insofern ich ein Mensch bin, der Kosmos.
Nur was diesen beiden Staaten frommt,
ist auch für mich ein Gut.

Mark Aurel (161-180)

◆

Mir scheint das nicht fortschrittlich

Es gibt eine eigentümliche Faszination der Technik,
eine Verzauberung der Gemüter,
die uns dazu bringt zu meinen,
es sei ein fortschrittliches und
ein technisches Verhalten, daß man alles,
was technisch möglich ist, auch ausführt.
Mir scheint das nicht fortschrittlich, sondern kindisch.
Es ist das typische Verhalten einer ersten Generation,
die alle Möglichkeiten ausprobiert,
nur weil sie neu sind, wie ein spielendes Kind
oder ein junger Affe.
Wahrscheinlich ist diese Haltung vorübergehend
notwendig, damit Technik überhaupt entsteht.
Reifes, technisches Handeln aber ist anders.
Es benützt technische Geräte als Mittel zu einem
Zweck. Den Raum der Freiheit planen
kann nur der Mensch,
der Herr der Technik bleibt.

Carl Friedrich von Weizsäcker (*1912)

◆

Die große Absicht des Universums

Die große Absicht des Universums
und seiner Geschichte ist keine andere
als die vollendete Versöhnung
und Wiederauflösung
in die Absolutheit.

Friedrich Wilhelm Joseph von Schelling (1775-1854)

◆

Der Mensch stolpert nicht über Berge

Der Mensch stolpert nicht über Berge,
sondern über einen Ameisenhaufen.

Han Fe Dse (um 280-233 v.Chr.)

◆

Alles Unglück in der Welt

Alles Unglück in der Welt kommt daher,
daß man nicht versteht,
ruhig in einem Zimmer zu sein.

Blaise Pascal (1623-1662)

◆

Hinauf und hinab

Der Weg hinauf und hinab ist ein und derselbe.

Heraklit (um 500 v.Chr.)

Fortschritte machen

Wenn sich einer auf einen Weg
ordentlich vorbereitet,
hat er bereits einen guten Teil
des Pfades hinter sich gebracht;
und was anfangs unüberwindlich scheint,
wird durch den ersten Erfolg schon weniger hart,
durch Übung leicht, durch Gewohnheit
schließlich und endlich zur Spielerei.

Erasmus von Rotterdam (1469-1536)

Ein guter Mensch

Ein guter Mensch bleibt immer ein Anfänger.

Mark Aurel (161-180)

Über die Vernunft hinaus

◆

Das Geheimnisvolle

Das Schönste, was wir erleben können,
ist das Geheimnisvolle.
Es ist das Grundgefühl, das an der Wiege
von wahrer Kunst und Wissenschaft steht.
Wer es nicht kennt und sich nicht mehr wundern,
nicht mehr staunen kann,
der ist sozusagen tot und sein Auge erloschen.

Albert Einstein (1879-1955)

◆

Zwei Dinge

Zwei Dinge erfüllen das Gemüt mit immer
neuer und zunehmender Bewunderung
und Ehrfurcht, je öfter und anhaltender
sich das Nachdenken damit beschäftigt:
der bestirnte Himmel über mir
und das moralische Gesetz in mir.
Beide darf ich nicht als in Dunkelheiten verhüllt
oder im überschwenglichen,
außer meinem Gesichtskreise suchen
oder bloß vermuten; ich sehe sie vor mir
und verknüpfe sie unmittelbar
mit dem Bewußtsein meiner Existenz.
Das erste fängt von dem Platze an,
den ich in der äußeren Sinnenwelt einnehme,
und erweitert die Verknüpfung,
darin ich stehe, ins unabsehlich Große
mit Welten über Welten und Systemen von Systemen,
überdem noch in grenzenlosen Zeiten
ihrer periodischen Bewegung,
deren Anfang und Fortdauer.

Das zweite fängt von meinem unsichtbaren Selbst,
meiner Persönlichkeit an
und stellt mich in einer Welt dar,
die wahre Unendlichkeit hat,
aber nur dem Verstande spürbar ist,
und mit welcher (dadurch aber auch zugleich
mit allen jenen sichtbaren Welten)
ich mich nicht wie dort in bloß zufälliger,
sondern allgemeiner und
notwendiger Verknüpfung erkenne.
Der erstere Anblick einer zahllosen Weltenmenge
vernichtet gleichsam meine Wichtigkeit
als eines tierischen Geschöpfs, das die Materie,
daraus er ward, dem Planeten
(einem bloßen Punkt im Weltall)
wieder zurückgeben muß,
nachdem es eine kurze Zeit (man weiß nicht wie)
mit Lebenskraft versehen gewesen.
Der zweite erhebt dagegen meinen Wert
als einer Intelligenz unendlich durch meine
Persönlichkeit, in welcher das moralische Gesetz

mir ein von der Tierheit und selbst
von der ganzen Sinnenwelt unabhängiges Leben
offenbart, wenigstens soviel sich aus der
zweckmäßigen Bestimmung meines Daseins
durch dieses Gesetz, welches nicht auf
Bedingungen und Grenzen dieses
Lebens eingeschränkt ist,
sondern ins Unendliche geht, annehmen läßt.

Immanuel Kant (1724-1804)

◆

Wider den Atheismus

Es ist leichter, an die abenteuerlichsten Fabeln
des Koran, des Talmud
und der Legende zu glauben, als zu glauben,
daß die Welt ohne Verstand gemacht sei.
Darum hat Gott zur Widerlegung des Atheismus
keine Wunder getan, weil zu diesem Zwecke
seine gesetzmäßigen Naturwerke hinreichen.

Francis Bacon (1561-1626)

Etwas Großartiges

Es liegt etwas Großartiges in dieser Ansicht vom Leben,
wonach es mit allen seinen verschiedenen Kräften
von dem Schöpfer aus wenig Formen oder
vielleicht nur einer, ursprünglich erschaffen wurde;
und daß, während dieser Planet gemäß
den bestimmten Gesetzen der Schwerkraft
im Kreise sich bewegt,
aus einem so schlichten Anfang eine endlose Zahl
der schönsten und wundervollsten Formen
entwickelt wurden und noch entwickelt werden.

Charles Robert Darwin (1809-1882)

Allein im Ursprung

Was der Mensch sei, ist nicht abzuschieben
auf ein Gewußtes, sondern ist,
durch alles von ihm Wißbare hindurch,
allein im Ursprung ungegenständlich zu erfahren.

Karl Jaspers (1883-1969)

Gehe auf eine Wiese

Du wirst kein Buch finden,
in dem du die göttliche Weisheit
mehr zu erforschen könntest finden,
als wenn du auf eine blühende Wiese gehst.
Gehe auf eine Wiese.
Da wirst du die wunderliche Kraft Gottes sehen,
riechen und schmecken,
wiewohl es nur ein Gleichnis ist.

Jakob Böhme (1575-1624)

◆

Unaufhörlich umgibt uns das Ewige

Der Trieb, mit dem Unvergänglichen
vereinigt zu werden und zu verschmelzen,
ist die innigste Wurzel allen endlichen Daseins.
Unaufhörlich umgibt uns das Ewige
und bietet sich uns dar, und wir haben nichts
weiter zu tun, als dasselbe zu ergreifen.

Johann Gottlieb Fichte (1762-1814)

◆

Das Größte, das gedacht werden kann

Wenn ein Maler überlegt, was er tun will,
so hat er das Bild im Intellekt,
aber er weiß auch, daß das Bild noch nicht existiert,
das er noch nicht gemalt hat.
Nachdem er es aber gemalt hat,
hat er es im Intellekt und weiß auch,
daß das Bild existiert, welches er gemalt hat.
Auch der Tor ist also genötigt einzugestehen,
daß wenigstens in seinem Intellekt das Größte,
das gedacht werden kann, vorhanden ist.
Nun kann aber sicherlich das Größte, das
überhaupt denkbar ist, nicht allein im Intellekt sein;
denn wenn es allein im Intellekt wäre,
so könnte noch hinzugedacht werden,
daß es auch in der Wirklichkeit existiert
- das wäre noch größer. Wenn also das Größte,
das denkbar ist, im Intellekt allein existieren würde,
so wäre noch etwas Größeres
denkbar als das Größte, das denkbar ist;
das ist aber sicher nicht möglich.

Also existiert zweifellos das Größte,
das gedacht werden kann,
sowohl im Intellekt als auch in der Wirklichkeit.

Anselm von Canterbury (1033-1109)

◆

Das Prinzip der Umwandlung

Die Wissenschaft hat herausgefunden,
daß nichts spurlos verschwinden kann.
Die Natur kennt keine Vernichtung, nur Umwandlung.
Wenn nun Gott dieses fundamentale Prinzip
gebraucht, wenn es um den kleinsten
und unbedeutendsten Teil des Universums geht,
ist es dann nicht ganz logisch, damit zu rechnen,
daß er dieses Prinzip auch braucht,
wenn es um das Meisterwerk
seiner Schöpfungstätigkeit geht,
nämlich um die Seele des Menschen?
Das, glaube ich, tut er.

Wernher von Braun (1912-1977)

◆

Religion

Das Universum ist in einer ununterbrochenen
Tätigkeit und offenbart sich uns jeden Augenblick.
Jede Form, die es hervorbringt, jedes Wesen,
dem es nach der Fülle des Lebens
ein abgesondertes Dasein gibt, jede Begebenheit,
die es aus seinem reichen, immer
fruchtbaren Schoße herausschüttet,
ist ein Handeln desselben auf uns;
und so alles Einzelne als einen Teil des Ganzen,
alles Beschränkte als eine Darstellung
des Unendlichen hinnehmen,
das ist Religion;
was aber darüber hinaus will
und tiefer hineindringen
in die Natur und Substanz des Ganzen,
ist nicht mehr Religion und wird,
wenn es doch noch dafür angesehen sein will,
unvermeidlich zurücksinken in leere Mythologie.

Friedrich Schleiermacher (1768-1834)

◆

Religion

Die Religion ist die Entzweiung des Menschen
mit sich selbst: Er setzt sich Gott
als ein ihm entgegengesetztes Wesen gegenüber.
Gott ist nicht, was der Mensch ist –
der Mensch nicht, was Gott ist.
Gott ist das unendliche, der Mensch
das endliche Wesen; Gott vollkommen,
der Mensch unvollkommen;
Gott ewig, der Mensch zeitlich;
Gott allmächtig, der Mensch ohnmächtig;
Gott heilig, der Mensch sündhaft.
Gott und Mensch sind Extreme:
Gott das schlechthin Positive,
der Inbegriff aller Realitäten,
der Mensch das schlichtweg Negative,
der Inbegriff aller Nichtigkeiten.
Aber der Mensch vergegenständlicht
in der Religion sein eignes geheimes Wesen.
Es muß also nachgewiesen werden,

daß dieser Gegensatz, dieser Zwiespalt
von Gott und Mensch,
womit die Religion anhebt,
ein Zwiespalt des Menschen
mit seinem eignen Wesen ist.

Ludwig Feuerbach (1804-1872)

◆

Wenn die Ochsen Götter hätten

Die Äthiopier behaupten,
ihre Götter seien stumpfnasig und schwarz,
die Thraker sagen, ihre Götter seien blauäugig
und rothaarig. Doch wenn die Ochsen
und die Pferde und die Löwen Hände hätten
und Kunstwerke schaffen könnten
wie die Menschen, so würden die Pferde
pferdeähnliche und die Ochsen
ochsenähnliche Göttergestalten malen.

Xenophanes von Kolophon (um 580-490 v.Chr.)

◆

Die Religion

Bereits mitten auf der Höhe
der psychoanalytischen Arbeit, im Jahre 1912,
hatte ich in „Totem und Tabu" den Versuch gemacht,
die neu gewonnenen analytischen Einsichten
zur Erforschung der Ursprünge
von Religion und Sittlichkeit auszunützen.
Zwei spätere Essays „Die Zukunft einer Illusion"
und „Das Unbehagen in der Kultur"
setzten dann diese Arbeitsrichtung fort.
Immer klarer erkannte ich,
daß die Geschehnisse der Menschheitsgeschichte,
die Wechselwirkungen zwischen Menschennatur,
Kulturentwicklung und jenen Niederschlägen
urzeitlicher Erlebnisse, als deren
Vertretung sich die Religion vordrängt,
nur die Spiegelung der dynamischen Konflikte
zwischen Ich, Es und Über-Ich sind,
welche die Psychoanalyse
beim Einzelmenschen studiert, die gleichen Vorgänge

auf einer weiteren Bühne wiederholt.
In der „Zukunft einer Illusion"
hatte ich die Religion hauptsächlich
negativ gewürdigt; ich fand später die Formel,
die ihr bessere Gerechtigkeit erweist:
ihre Macht beruhe allerdings
auf ihrem Wahrheitsgehalt,
aber diese Wahrheit sei keine materielle,
sondern eine historische.

Sigmund Freud (1856-1939)

◆

Wo die Transzendenz überwintert

Profane Texte wie heilige anschauen,
das ist die Antwort darauf,
daß alle Transzendenz in die Profanität
einwanderte und nirgends überwintert
als dort, wo sie sich verbirgt.

Theodor W. Adorno (1903-1969)

◆

Das Wissen von Gott

Das Wissen von Gott ist das Wissen
des Menschen von sich,
von seinem eigenen Wesen.
Gott ist das Ideal des menschlichen Wesens,
angeschaut als ein selbständiges wirkliches Wesen.

Ludwig Feuerbach (1804-1872)

Über die Vernunft hinaus

Es sind viele irreligiös in unserer Zeit,
nicht weil ihnen etwas den Glauben genommen hat,
sondern weil sie nicht angeleitet wurden,
den Weg der Vernunft weit genug,
bis zu Ende zu gehen
und dann dahin zu kommen,
wo der Weg des Friedens
über die Vernunft hinausführt.

Albert Schweitzer (1875-1965)

Übersteigen

Alle Schranken sind bloß
des Übersteigens wegen da.

Novalis (1772-1801)

Wer sich in der Kirche umsieht

Wer sich in der Kirche umsieht,
wird bemerken, wie vieles hier
von der Lehre Christi weit entfernt ist.
Er wird finden,
daß viele Ansichten vertreten werden,
die lächerlich sind, und mehr noch solche,
über die man eigentlich weinen müßte.
Viele der Mißstände in der Kirche
haben ihren Ursprung darin,
daß wir in das Christentum
eine Art Welt eingeführt haben.

Erasmus von Rotterdam (1469-1536)

Der Tod Gottes

„Gott selbst ist tot"
heißt es in einem lutherischen Liede;
damit ist das Bewußtsein ausgedrückt,
daß das Menschliche, Endliche, Gebrechliche,
die Schwäche, das Negative
göttliches Moment selbst sind,
daß es in Gott selbst ist,
daß die Endlichkeit, das Negative,
das Anderssein nicht außer Gott ist
und als Anderssein
die Einheit mit Gott nicht hindert.
Es ist das Anderssein,
das Negative gewußt als Moment
der göttlichen Natur selbst.
Die höchste Idee des Geistes ist hierin enthalten.
Das Äußerliche, Negative
schlägt auf diese Weise
in das Innere um.

Georg Wilhelm Friedrich Hegel (1770-1831)

◆

Der tolle Mensch

Habt ihr nicht von jenem
tollen Menschen gehört,
der am hellen Vormittag eine Laterne anzündete,
auf den Markt lief und unaufhörlich schrie:
„Ich suche Gott!
Ich suche Gott!" - Da dort gerade viele
von denen zusammenstanden,
welche nicht an Gott glaubten,
so erregte er ein großes Gelächter.
Ist er denn verloren gegangen? sagte der eine.
Hat er sich verlaufen wie ein Kind, sagte der andere.
Oder hält er sich versteckt?
Fürchtet er sich vor uns?
Ist er zu Schiff gegangen? ausgewandert? -
so schrien und lachten sie durcheinander.
Der tolle Mensch sprang mitten unter sie
und durchbohrte sie mit seinen Blicken.
„Wohin ist Gott?" rief er. „Ich will es euch sagen!
Wir haben ihn getötet - ihr und ich!
Wir alle sind seine Mörder!

Aber wie haben wir dies gemacht?

Wie vermochten wir das Meer auszutrinken?

Wer gab uns den Schwamm,

um den ganzen Horizont wegzuwischen?

Was taten wir, als wir diese Erde

von ihrer Sonne losketteten?

Wohin bewegt sie sich nun?

Wohin bewegen wir uns?

Fort von allen Sonnen?

Stürzen wir nicht fortwährend?

Und rückwärts, seitwärts, vorwärts, nach allen Seiten?

Gibt es noch ein Oben und ein Unten?

Irren wir nicht wie durch ein unendliches Nichts?

Haucht uns nicht der leere Raum an?

Ist es nicht kälter geworden?

Kommt nicht immerfort die Nacht und mehr Nacht?

Müssen nicht Laternen am Vormittage

angezündet werden?

Hören wir noch nichts

von dem Lärm der Totengräber,

welche Gott begraben?

Riechen wir noch nichts von der göttlichen Verwesung -
auch Götter verwesen! Gott ist tot!
Gott bleibt tot! Und wir haben ihn getötet!
Wie trösten wir uns, die Mörder aller Mörder?
Das Heiligste und Mächtigste,
was die Welt bisher besaß,
es ist unter unseren Messern verblutet -
wer wischt das Blut von uns ab?
Mit welchem Wasser könnten wir uns reinigen?"
Hier schwieg der tolle Mensch
und sah wieder seine Zuhörer an;
auch sie schwiegen und blickten befremdet auf ihn.
Endlich warf er seine Laterne auf den Boden,
daß sie in Stücke sprang und erlosch.
„Ich komme zu früh", sagte er dann,
„ich bin noch nicht an der Zeit.
Dies ungeheure Ereignis ist noch unterwegs
und wandert - es ist noch nicht bis zu den
Ohren der Menschen gedrungen.
Blitz und Donner brauchen Zeit,
das Licht der Gestirne braucht Zeit.

Taten brauchen Zeit, auch nachdem sie getan sind,
um gesehen und gehört zu werden.
Diese Tat ist ihnen immer noch
ferner als die fernsten Gestirne
- und doch haben sie dieselbe getan!"
Man erzählte noch,
daß der tolle Mensch desselbigen Tages
in verschiedene Kirchen eingedrungen sei und
darin sein Requiem aeternam deo angestimmt habe.
Hinausgeführt und zur Rede gesetzt,
habe er immer nur dies entgegnet:
„Was sind denn diese Kirchen noch,
wenn sie nicht Grüfte und Grabmäler Gottes sind?"

Friedrich Wilhelm Nietzsche (1844-1900)

Der einzige Christ

Im Grunde gab es nur einen einzigen Christen,
und der starb am Kreuz.

Friedrich Wilhelm Nietzsche (1844-1900)

Wer die Wahrheit sucht

Es hat mir immer sehr fern gelegen zu denken,
daß Gottes Barmherzigkeit sich an
die Grenzen der sichtbaren Kirche binde.
Gott ist die Wahrheit.
Wer die Wahrheit sucht,
der sucht Gott, ob es ihm klar ist oder nicht.

Edith Stein (1891-1942)

◆

Die Lösung des Problems des Lebens

Die Lösung des Problems des Lebens
merkt man am Verschwinden dieses Problems.
Kann man aber so leben, daß das Leben aufhört,
problematisch zu sein? Daß man im Ewigen lebt
und nicht in der Zeit? Ist nicht dies der Grund,
warum Menschen, denen der Sinn des Lebens
nach langen Zweifeln klar wurde, warum diese dann
nicht sagen konnten, worin dieser Sinn bestand?

Ludwig Wittgenstein (1889-1951)

◆

Die Frage
Die Frage ist die Frömmigkeit des Denkens.

Martin Heidegger (1889-1976)

Ein paar Fragen
Wenn ich einmal sterbe
und vor Gottes Angesicht trete,
wird der Herr seine Fragen an mich richten.
Aber es gibt schon auch noch ein paar Fragen,
die ich ihm stellen werde
und die er mir beantworten muß.

Romano Guardini (1885-1968)

Nicht nur die Hände
Falt dein Leben zum Gebet -
dein Leben, und nicht nur die Hände.

Ferdinand Ebner (1882-1931)

Siehe die ganze Natur

Siehe die ganze Natur,
betrachte die große Analogie
der Schöpfung:
alles fühlt sich und seinesgleichen,
Leben wallt zu Leben.
Jede Saite bebt ihrem Ton,
jede Fiber verwebt sich
mit ihrer Gespielin,
Tier fühlt mit Tier;
warum sollte nicht
Mensch mit Mensch fühlen?
Im Grad der Tiefe unseres Selbstgefühls
liegt auch der Grad
des Mitgefühls mit andern;
denn nur uns selbst
können wir in andre
gleichsam hineinfühlen.

Johann Gottfried Herder (1744-1803)

◆

Die Sehnsucht nach dem ganz Anderen

Das Bewußtsein unserer Verlassenheit,
unserer Endlichkeit ist kein Beweis
für die Existenz Gottes, sondern es kann nur
die Hoffnung hervorbringen,
daß es ein positives Absolutes gibt.

Max Horkheimer (1895-1973)

Das unverhoffte Hoffen

Wer das Unverhoffte nicht erhofft,
wird es nicht finden.

Heraklit (um 500 v.Chr.)

Der letzte Schritt der Vernunft

Der letzte Schritt der Vernunft ist es, anzuerkennen,
daß es eine Unendlichkeit von Dingen gibt,
die sie übersteigen.

Blaise Pascal (1623-1662)

Das Vergnügen als Gottesbeweis

Ich wundere mich, daß man unter so vielen
überstiegenen Beweisen für das Dasein
Gottes noch nicht darauf verfallen ist,
das Vergnügen als Beweis anzuführen.
Das Vergnügen ist etwas Göttliches,
und ich bin der Meinung, daß jeder,
der guten Tokaier trinkt, der eine Frau küßt,
mit einem Wort, der angenehme Empfindungen hat,
ein wohltätiges Höchstes Wesen anerkennen muß.

Voltaire (1694-1778)

◆

Vergnügen in der Betrachtung
des Wahren

Das Vergnügen, das man in der Betrachtung
des Wahren findet, ist fast das einzige reine
und durch keinen Schmerz getrübte Glück
in diesem Leben.

René Descartes (1596-1650)

◆

Friede auf Erden

◆

Wenn ich kritisiert wurde

Wenn ich verächtlich kritisiert wurde,
und selbst wenn ich über Gebühr gelobt wurde,
ist es meine größte Beruhigung gewesen,
mir selbst hundertmal zu sagen:
„Ich habe mich so angestrengt
und so gut gearbeitet, wie ich nur konnte,
und kein Mensch kann mehr tun als dies."

Charles Robert Darwin (1809-1882)

◆

Menschen freien Geistes

Kann man sich ein größeres Unglück
für einen Staat denken,
als wenn ehrbare Männer nur darum,
weil sie anders denken und
nicht zu heucheln verstehen,
wie Verbrecher des Landes verwiesen werden?
Was kann verderblicher sein,
als wenn Menschen nicht wegen
eines Verbrechens oder einer Übeltat,
sondern nur weil sie freien Geistes sind,
für Feinde erklärt und zu Tode geführt werden,
und wenn der Richtplatz,
das Schreckbild für die Bösen,
zur schönsten Schaubühne wird,
um das erhabenste Beispiel
der Standfestigkeit und Tugend zu bieten?

Baruch Spinoza (1632-1677)

◆

Vergiftete Sprache

Worte können sein wie winzige Arsendosen:
sie werden unbemerkt verschluckt,
sie scheinen keine Wirkung zu tun,
und nach einiger Zeit ist die Giftwirkung da.
Wenn einer lange genug für heldisch
und tugendhaft „fanatisch" sagt, glaubt er
schließlich wirklich, ein Fanatiker sei
ein tugendhafter Held, und
ohne Fanatismus könne man kein Held sein.
Die Worte fanatisch und Fanatismus sind
nicht vom Dritten Reich erfunden,
es hat sie nur in ihrem Wert verändert
und hat sie an einem Tage häufiger gebraucht
als andere Zeiten in Jahren.
Das Dritte Reich hat die wenigsten Worte
seiner Sprache selbstschöpferisch geprägt,
vielleicht, wahrscheinlich sogar, überhaupt keines.
Die nazistische Sprache weist in vielem

auf das Ausland zurück, übernimmt das meiste
andere von vorhitlerischen Deutschen.
Aber sie ändert Wortwerte und Worthäufigkeiten,
sie macht zum Allgemeingut,
was früher einem einzelnen
oder einer winzigen Gruppe gehörte,
sie beschlagnahmt für die Partei,
was früher Allgemeingut war,
und in alledem durchtränkt sie Worte
und Wortgruppen und Satzformen mit ihrem Gift,
macht sie die Sprache ihrem fürchterlichen
System dienstbar, gewinnt sie an der Sprache
ihr stärkstes, ihr öffentlichstes
und geheimstes Werbemittel.

Victor Klemperer (1881-1960)

◆

Anfang und Ende
In jedem Anfang liegt schon das Ende.

Zarathustra (um 600 v.Chr.)

◆

Und Hitler?

Als ich in Israel darüber sprach,
daß alle Menschen ohne Ausnahme
in der Tiefe ihres Herzens gut sind, rief man mir zu:
Und Hitler? Und Himmler? Und Eichmann?
All jene, die so viel Leid über die Menschen brachten?
Ich sagte: Ja, auch sie.
Am nächsten Tag stand in jüdischen Zeitungen,
der Dalai Lama sei ja sicher ein Mann des Friedens,
aber ein wenig weltfremd und naiv.
Nun: Ich bin gegen jede
Art von Gewalt, also gegen den Nazismus,
aber ich lehne die Sache ab,
die Taten, nicht die Täter.
Ich habe kein Recht, jemanden
zu hassen und zu töten.
Da ist doch ein Unterschied, nicht wahr,
ob man eine Ideologie ablehnt
oder ihre Anhänger umbringt.

*Dalai Lama (T*1939)*

◆

Die Guten und Gerechten
Wie ohnmächtig auch
die guten und gerechten
Menschen sein mögen, sie allein
machen das Leben lebenswert.

Albert Einstein (1879-1955)

◆

Europa bedarf der Heilung
Wenn wir nur durch das Geld
und die Fabriken Amerikas befreit werden,
fallen wir auf irgendeine Weise in eine
andere Sklaverei, die gleichbedeutend ist
mit der, die wir erdulden.
Europa leidet an einer inneren Krankheit.
Es bedarf der Heilung.

Simone Weil (1909-1943)

◆

Wort nach Auschwitz

Kein vom Hohen getöntes Wort,
auch kein theologisches,
hat unverwandelt nach Auschwitz ein Recht.

Theodor W. Adorno (1903-1969)

◆

Friede auf Erden

Seit dem Ende des Zweiten Weltkrieges
haben wir bereits circa 122 lokale Kriege gehabt.
Nach dem Zweiten Weltkrieg
war ich ein übereifriger Optimist,
weil ich der Meinung war,
daß im Jahr 2000 die Welt vollkommen
befriedet sein würde. Da glaube ich jetzt schon eher
an die Existenz von Vampiren und Werwölfen.

*Stanislaw Lem (*1921)*

◆

Ewiger Friede

Wenn die Vollendung des ewigen Friedens
auch immer ein frommer Wunsch bliebe,
so betrügen wir uns doch gewiß nicht
mit der Annahme der Maxime,
dahin unablässig zu arbeiten,
denn diese ist Pflicht.

Immanuel Kant (1724-1804)

Vater aller Dinge

Der Krieg ist der Vater aller Dinge,
der König aller Dinge:
die einen erweist er als Götter,
die anderen als Menschen;
die einen macht er zu Sklaven,
die anderen zu Freien.

Heraklit (um 500 v.Chr.)

Die acht Mittel der Staatskunst

Menschlichkeit, Pflichtbewußtsein, Riten,
Ritualmusik, Titel, Satzungen, Strafen und Belohnungen -
dies waren die acht Mittel der Staatskunst,
mit welchen die fünf weisen Kaiser
und die drei Könige des Altertums die Welt
in Ordnung hielten. Mit Menschlichkeit wurden
die Menschen auf den rechten Weg geführt;
mit Pflichtbewußtsein wurden ihre wechselseitigen
sittlichen Forderungen festgelegt;
mit den Riten wurde ihr Verhalten zueinander geregelt;
mit Ritualmusik wurden sie zur Harmonie erzogen;
mit Titeln wurden ihnen Ränge zugemessen;
mit Satzungen wurden sie zu gemeinsamem,
ordentlichem Handeln gebracht;
mit Strafen wurde ihnen Achtung eingeflößt;
mit Belohnungen wurden sie zum Fleiß angespornt.

Yin Wen Dse (um 400 v.Chr.)

◆

Alle streben nach dem Guten

◆

Wirklich philosophieren

Man soll nicht vorgeben zu philosophieren,
sondern wirklich philosophieren.
Denn wir bedürfen nicht des Anscheins
der Gesundheit, sondern wirklicher Gesundheit.

Epikur (341–270 v.Chr.)

◆

Was man heute denkt

Von dem, was man heute denkt,
hängt es mit ab, was morgen gelebt wird.

José Ortega y Gasset (1883-1955)

Jeden Tag prüfe ich mein Verhalten

Jeden Tag prüfe ich mein Verhalten
in dreifacher Hinsicht: War ich nicht getreu
in meinen Bemühungen für andere?
War ich nicht aufrichtig im Umgang mit Freunden?
Habe ich nicht angewandt,
was mir an Wissen übermittelt wurde?

Kung Fu-Dse (551-479 v.Chr.)

Der einzige Tyrann, den ich anerkenne

Der einzige Tyrann, den ich in dieser Welt
anerkenne, ist die leise innere Stimme.

Mahatma Gandhi (1869-1948)

Die Erziehung ist das größte Problem

Der Mensch soll seine Anlagen
zum Guten erst entwickeln,
die Vorsehung hat sie
nicht schon fertig in ihn gelegt,
es sind bloß Anlagen
und ohne den Unterschied der Moralität.
Sich selbst besser machen,
sich selbst kultivieren und,
wenn er böse ist,
Moralität bei sich hervorzubringen,
das soll der Mensch.
Wenn man das aber reiflich überdenkt,
so findet man, daß dieses sehr schwer sei.
Daher ist die Erziehung das größte Problem
und das schwerste,
was dem Menschen kann aufgegeben werden.
Denn Einsicht hängt von der Erziehung,
und Erziehung wieder von der Einsicht ab.

Immanuel Kant (1724-1804)

◆

Bemäntelung von Lastern

Oft werden Laster mit dem Namen einer Tugend
bemäntelt. Man gibt z.B. Finsterkeit
als Besonnenheit aus, Neid als Eifer,
Habsucht als Wirtschaftlichkeit oder Härte als Strenge.
Nicht selten stecken hinter
der Maske der Frömmigkeit und der Pflicht
Streberei, Geldgier, Rachsucht, Neid, Eifersucht.

Erasmus von Rotterdam (1469-1536)

Was ist Tugend?

Tugend bedeutet nicht die „Bravheit"
und „Ordentlichkeit" eines isolierten Tuns oder Lassens.
Sondern Tugend bedeutet:
daß der Mensch richtig „ist",
und zwar im übernatürlichen wie im natürlichen Sinn.

*Josef Pieper (*1903)*

Das Gedächtnis und der Stolz

„Das hast du getan", sagt mein Gedächtnis.
„Das kannst du nicht getan haben", sagt mein Stolz.
Endlich gibt das Gedächtnis nach.

Friedrich Wilhelm Nietzsche (1844–1900)

◆

Das Gute stärken

Wer das Gute stärkt, wo er es findet,
ob bei hoch oder bei niedrig,
der allein tut wirkliche Arbeit auf Erden.

Zarathustra (um 600 v.Chr.)

◆

Der Selbstmord der Moral

Der Selbstmord der Moral
ist ihre letzte moralische Forderung.

Friedrich Wilhelm Nietzsche (1844–1900)

◆

Gut und schlecht

Unter gut verstehe ich das,
wovon wir gewiß wissen, daß es ein Mittel ist,
uns dem Muster der menschlichen Natur,
das wir uns aufstellen, mehr und mehr zu nähern.
Unter schlecht dagegen das,
wovon wir gewiß wissen, daß es uns hindert,
diesem Muster ähnlich zu sein.

Baruch Spinoza (1632-1677)

Nicht das Angenehmste

Rate den Mitbürgern nicht das Angenehmste,
sondern das Beste.

Solon (einer der „Sieben Weisen")

◆

Sittlichkeit

Alle Sittlichkeit ist schöpferisch.

Otto Weininger (1880-1903)

◆

Ich weiß mir kein schöneres Gebet

Ich weiß mir kein schöneres Gebet als das,
womit die altindischen Schauspiele
(wie in früheren Zeiten die englischen
mit dem für den König) schließen.
Es lautet: „Mögen alle lebenden Wesen
von Schmerzen frei bleiben!"

Arthur Schopenhauer (1788-1860)

◆

Bedenke das Ende

Führe jede Tat deines Lebens so aus,
als ob sie deine letzte wäre.

Mark Aurel (161-180)

◆

Tausend Imitationen

Es gibt nur eine Art Liebe,
aber es gibt tausend Imitationen.

Francois La Rochefoucauld (1613-1680)

◆

Jeder Gedanke, der mein Herz erweitert

Jeder Gedanke, der mein Herz erweitert,
mehrt in mir die Liebe und Hochachtung
gegen die Menschen.

Maurice Maeterlinck (1862-1949)

Der kategorische Imperativ

Der kategorische Imperativ ist also
ein einziger, und zwar dieser:
Handle nur nach derjenigen Maxime, durch die du
zugleich wollen kannst,
daß sie ein allgemeines Gesetz werde.

Immanuel Kant (1724-1804)

Eine Wohltat annehmen

Es liegt auch eine Liebe darin,
daß man eine Wohltat annimmt.

Christian Wolff (1679-1754)

Ehrfurcht vor dem Leben
Ich kann nicht anders als Ehrfurcht haben
vor allem, was Leben heißt,
ich kann nicht anders als Mitempfinden mit allem,
was Leben heißt: Das ist der Anfang
und das Fundament aller Sittlichkeit.

Albert Schweitzer (1875-1965)

◆

Wenn du keinen Feind hast
Wenn du keinen Feind hast,
scheinst du auch keinen Freund zu haben.

Chilon (einer der „Sieben Weisen")

◆

Der Mensch kann, was er soll
Der Mensch kann, was er soll;
und wenn er sagt, ich kann nicht,
so will er nicht.

Johann Gottlieb Fichte (1762-1814)

◆

Die reife Liebe

Die unreife kindliche Liebe sagt:
„Ich liebe dich, weil ich dich brauche.
Die reife Liebe sagt dagegen:
„Ich brauche dich, weil ich dich liebe."

Erich Fromm (1900-1980)

◆

Über den Neid

Ein Mensch, der selber keine guten Eigenschaften
besitzt, beneidet stets die Tugenden anderer,
denn das menschliche Herz weidet sich gern
an den eigenen Vorzügen oder an der Schlechtigkeit
der andern; und wer daher das eine entbehrt,
muß sich an das andere halten,
und wer nicht hoffen kann,
es anderen an Tugend gleichzutun, strebt danach,
ihnen gleich zu werden, indem er sie von
ihrer Höhe herabzureißen trachtet.

Francis Bacon (1561-1626)

◆

Alle streben nach dem Guten
Jede Kunst und jede Planung,
ebenso jede Handlung und jeder Entschluß
scheinen ein Gut vor Augen zu haben.
Daher hat man sehr richtig das Gute
als das hingestellt, wonach alles strebt.

Aristoteles (384-322 v.Chr.)

◆

Die Hölle
Die Hölle, das sind die anderen!

Jean Paul Sartre (1905-1980)

◆

Sich ändern
Der Meister sagte: „Fehler begehen und sich
nicht ändern, das heißt fürwahr Fehler begehen."
Ferner sagte der Meister: „Nur die Allerklügsten und
die Allerdümmsten ändern sich nie."

Kung Fu-Dse (551-479 v.Chr.)

◆

Die Fehler der anderen

Die Fehler der anderen sehen wir,
die eigenen sehen wir nicht.

Lucius Annaeus Seneca (4 v.Chr. - 65 n.Chr.)

Leere Blätter in der Weltgeschichte

Glücklich ist derjenige, welcher
sein Dasein seinem besonderen Charakter,
Wollen und Willkür angemessen hat
und so in seinem Dasein sich selbst genießt.
Die Weltgeschichte ist
nicht der Boden des Glücks.
Die Perioden des Glücks
sind leere Blätter in ihr;
denn sie sind die Perioden
der Zusammenstimmung,
des fehlenden Gegensatzes.

Georg Wilhelm Friedrich Hegel (1770-1831)

Mit gewaltsamem Tun ist nichts getan

Mit gewaltsamem Tun
ist nichts getan in dieser Welt:
Der Natur der Dinge folge, und du erreichst sie.
Mit gewaltsamem Suchen
wird nichts begreifbar von der
zahllosen Dinge Wandlung: Folge ihnen,
wohin sie streben, und du wirst sie begreifen.
So spiegeln sich die Dinge in des Wassers Spiegel,
der nicht Witz noch List besitzt und
dem doch nichts entgeht,
ob eckig, ob rund, ob krumm, ob gerade.

Huai-Nan Dse (um 180-122 v.Chr.)

Unangenehmes

Wer das Unangenehme erträgt,
wird auch das Angenehme beherrschen.

Euagrius Ponticus (um 550)

Muße

Solange der Mensch in dieser Welt weilt,
gibt es für ihn keine wirkliche Muße.
Vollständig müßig kann man nur im Tode sein.
Vom Morgen bis zum Abend hat man
zahllose Angelegenheiten zu erledigen.
Man kann da nicht gut sagen:
Die vielen Dinge stören mich,
ich ziehe mich einfach zu stiller Meditation zurück.
Ehrfurcht ist nicht von dieser Art.
Habe ich etwas zu erledigen, und ich versteife mich
nun plötzlich auf Ruhe und weise hartnäckig
jedes Eingehen auf die Erfordernisse des Tages zurück,
so wäre das der Tod für den Geist.

Dschu Hsi (1130-1200)

◆

Ein gutes Ende

Alles nimmt ein gutes Ende für den, der warten kann.

Leo N. Tolstoi (1828-1910)

◆

Literatur- und Quellenverzeichnis

Adorno, Theodor W.

S. 85 Aus: Theodor W. Adorno, „Noten zur Literatur", Frankfurt am Main 1972

S. 105 Aus: „Negative Dialektik", Frankfurt am Main 1966

Aristoteles

Aus: „Nikomachische Ethik",

Augustinus

Aus: „Confessiones"

Bachmann, Ingeborg

Titel einer Rede, die Bachmann anläßlich einer Preisverleihung gehalten hat

Bacon, Francis

S. 32 Aus: „Novum Organum"

S. 76 Aus: „Sermones fideles"

S. 118 Aus: „Essays"

Bloch, Ernst

Aus einem Zeitungsinterview, Süd-Ost-Tagespost, Graz

Braun, Wernher von

Aus: Heidi Kaiser,
„Leiden und Hoffen", Lahr 1993

Boethius

Aus: „Der Trost der Philosophie"

Börne, Ludwig

S. 35 Aus: „Fragmente und Aphorismen", S. 52 Aus: „Der Narr im Weißen Schwan"

Camus, Albert

Aus: Albert Camus, „Der Mythos von Sisyphus", Reinbek 1958

Capra, Fritjof

Aus: Fritjof Capra, „Was heißt Tiefenökologie? - Teilnehmendes Erkennen als neues Paradigma", 3Sat 17.3.96

Dalai Lama

Aus: Luise Rinser, „Mitgefühl als Weg zum Frieden. Meine Gespräche mit dem Dalai Lama",
© Kösel-Verlag, München 1995

Demokrit

Aus: Hermann Diels, „Die Fragmente der Vorsokratiker", Reinbek 1957

Dschu Hsi

Aus: Ernst Schwarz, „So sprach der Weise. Chinesisches Gedankengut aus drei Jahrtausenden", Berlin 1981

Ebner, Ferdinand

S. 61 Aus: „Versuch eines Ausblicks
in die Zukunft", S. 94 „Spruchtafel"

**Ebner-Eschenbach,
Marie von**

Aus: „Aphorismen"

Einstein, Albert

Aus: „Mein Weltbild"

Epikur

Aus: „Brief an Menoikeus"

Erasmus von Rotterdam

Übersetzung: Josef Dirnbeck

Feuerbach, Ludwig

Aus: „Das Wesen des Christentums"

Frankl, Viktor E.

Aus: Peter Paul Kaspar,
„Zuwendung", Wien 1979

Freud, Sigmund

Aus: „Selbstdarstellung", © S. Fischer
Verlag, Frankfurt am Main 1971

Fromm, Erich

S. 50 Aus: Erich Fromm, „Haben oder
Sein", © Deutsche Verlags-Anstalt
GmbH, Stuttgart 1976

S. 118 Aus: Erich Fromm,

„Die Kunst des Liebens", © Deutsche
Verlags-Anstalt GmbH, Stuttgart

Gracián, Balthasar

Aus: Balthasar Gracián,
„Handorakel" 1637

Guardini, Romano

Aus: Romano Guardini, „Der Tod des
Sokrates", © Ferdinand Schöningh
Verlag, Paderborn

Han Fe Dse

Aus: Ernst Schwarz, „So sprach der
Weise. Chinesisches Gedankengut aus
drei Jahrtausenden", Berlin 1981

**Hegel,
Georg Wilhelm Friedrich**

S. 17 Aus: „Vorrede zur
Philosophie des Rechts"

S. 120 Aus: „Vorlesungen über die
Philosophie der Geschichte"

Heisenberg, Werner

S. 22 Aus: „Der Teil und das Ganze",
© R. Piper GmbH & Co. KG, München
1969, S. 63 Zit. in: „Ruhrwort",
Essen - Quelle unbekannt

Heraklit

Aus: Hermann Diels, „Die Fragmente der Vorsokratiker", Reinbek 1957

Herder, Johann Gottfried

Aus: „Ideen zur Philosophie der Geschichte der Menschheit"

Horkheimer, Max

Aus: Max Horkheimer, „Die Sehnsucht nach dem ganz anderen", Frankfurt am Main

Hsün Dse

Aus: Ernst Schwarz, „So sprach der Weise. Chinesisches Gedankengut aus drei Jahrtausenden", Berlin 1981

Huai-Nan Dse

Aus: Ernst Schwarz, „So sprach der Weise. Chinesisches Gedankengut aus drei Jahrtausenden", Berlin 1981

Husserl, Edmund

Aus: „Phänomenologie der Lebenswelt. Ausgewählte Texte II", Stuttgart 1986

Jaspers, Karl

S. 11 und 67 Zit. in: Wilhelm Weischedel, „Die philosophische Hintertreppe", © Nymphenburger Verlagshandlung in der F.A. Herbig Verlagsbuchhandlung GmbH, München 1966, S. 77 Aus: Karl Jaspers, „Über Bedingungen und Möglichkeiten eines neuen Humanismus", © R. Piper & Co. Verlag, München 1951

Jonas, Hans

Aus: Vera Lebert-Hinze, „Sprechen mit Widerhall. Zur Philosophie von Hans Jonas", Christ in der Gegenwart 11/96. S. 86

Kant, Immanuel

S. 10 Aus: „Was ist Aufklärung?" S. 44 Aus: „Logik. Ein Handbuch zu Vorlesungen", , S. 74ff. Aus: „Kritik der praktischen Vernunft", S. 111 Aus: „Grundlegung zur Metaphysik der Sitten", Kierkegaard, Sören Aus: „Entweder-Oder"

Klemperer, Victor

Aus: Victor Klemperer, „Lingua Tertii Imperii", © Max Niemeyer Verlag GmbH &Co. KG Tübingen, Halle an der Saale 1957

Kung Fu-Dse

Aus: Ernst Schwarz, „So sprach der Weise. Chinesisches Gedankengut aus drei Jahrtausenden", Berlin 1981

La Mettrie

Aus: „L'homme machine"

Lem, Stanislaw

Aus einem Zeitungsinterview, Der Standard 22./23.7.89. S. IX

Leopardi, Giacomo

Aus: Giacomo Leopardi, „Gedichte und Prosa", Frankfurt am Main 1979

Lichtenberg, Georg Christoph

Aus: „Einfälle und Bemerkungen"

Maeterlinck, Maurice

Aus: Maurice Maeterlinck, „Weisheit und Schicksal", Jena 1920.

Mark Aurel

Aus: „Selbstbetrachtungen"

May, Karl

Aus: „Lichte Höhen"

Nietzsche, Friedrich Wilhelm

Aus: „Also so sprach Zarathustra"

Novalis

Aus: „Fragmente"

Ortega y Gasset, José

Quelle unbekannt

Pascal, Blaise

Aus: „Gedanken"

Pieper, Josef

Aus: Josef Pieper, „Über das christliche Menschenbild", Kösel Verlag, München 1952

Planck, Max

Aus „Das Weltbild der neuen Physik", Frankfurt a.M., 1929

Protagoras von Abdera

Aus: Hermann Diels, „Die Fragmente der Vorsokratiker", Reinbek 1957

Rosenzweig, Franz

Aus: Franz Rosenzweig, „Das neue Denken", zit. in: Orientierung 7/96

Russell, Bertrand

S. 17 Aus: Bertrand Russell, „Philosophische und politische Aufsätze", Stuttgart 1972, S. 27 Zit. in: Wilhelm Weischedel,

„Die Philosophische Hintertreppe",
München 1966

Sarte, Jean Paul

Aus: „Geschlossene Gesellschaft"

Scheler, Max, Quelle unbekannt

Schleiermacher, Friedrich

Aus: „Über die Religion - Reden an die
Gebildeten unter ihren Verächtern"

Schopenhauer, Arthur

S. 17, 32, 54f. Aus: „Aphorismen zur
Lebensweisheit", S. 33 Aus: „Parerga
und Paralipomena", S. 115 Aus: „Die
beiden Grundprobleme der Ethik"

Schweitzer, Albert

Aus: „Straßburger Predigten",
C. H. Beck Verlag, München 1966.
S. 95 und S. 124

Seneca

S. 59 Aus: „Abhandlungen"
S. 120 Aus: „Über die Freundschaft"

Sokrates

Aus: „Apologie"

Spinoza, Baruch

Aus: „Die Ethik"

Stein, Edith

Quelle unbekannt

Teilhard de Chardin, Pierre

Aus: Pierre Teilhard de Chardin,
„Geheimnis und Verheißung der
Erde" - Reisebriefe 1923-1939. ©
Verlag Herder GmbH & Co. KG,
Freiburg 1958

Tolstoi, Leo N.

S. 13 Aus: „Sozial-ethische Schriften" 1903, S. 28 Aus: „Tagebücher"
S. 64 Aus: „Sinn des Lebens"

Wang An-Schih

Aus: Ernst Schwarz, „So sprach der
Weise. Chinesisches Gedankengut
aus drei Jahrtausenden", Berlin 1981

Weil, Simone

Zit. in: Otto Betz, „Die Welt
meditieren", München 1966

**Weizsäcker,
Carl Friedrich von**

Aus: „Bedingungen des Friedens",
© Vandenhoeck & Rupprecht,
Göttingen 1964

Wittgenstein, Ludwig

S. 21 Zit. in: Wilhelm Weischedel,
„Die philosophische Hintertreppe",
München 1966, S. 93 Aus: Ludwig
Wittgenstein, "Schriften I",
Frankfurt am Main 1963

Wucherer-Huldenfeld, Augustinus

Aus: Augustinus Karl Wucherer-Huldenfeld, „Ursprüngliche Erfahrung
und personales Sein", Wien 1994. -
Mit freundlicher Genehmigung
des Autors

Xenophanes von Kolophon

Aus: Hermann Diels,
„Die Fragmente der Vorsokratiker",
Reinbek 1957

Yän Yüen

Aus: Ernst Schwarz, „So sprach der
Weise. Chinesisches Gedankengut
aus drei Jahrtausenden", Berlin 1981

Yin Wen Dse

Aus: Ernst Schwarz,
„So sprach der Weise.
Chinesisches Gedankengut aus drei
Jahrtausenden", Berlin 1981

Zarathustra

Aus: Joseph Kühnel, „Worte und
Weisheit aus vier Jahrtausenden",
Graz-Leipzig-Wien 1937